# 商売往来《しょうばいおうらい》

（職業知識《しょくぎょうちしき》、物《もの》の売《う》り買《か》い）

# 百姓往来《ひゃくしょうおうらい》

（村《むら》の暮《く》らしや農家《のうか》の仕事《しごと》、農産物《のうさんぶつ》等《など》）

# 江戸方角《えどほうがく》

（江戸《えど》の地理《ちり》や町《まち》の名前《なまえ》）

# 八助《はちすけ》の寺子屋日記《てらこやにっき》

その二話《にわ》

飯野和好・作

八助《はちすけ》は寺子屋《てらこや》に
通《かよ》いはじめて
三年《さんねん》が経《た》ち
十才《じゅっさい》になりました
ひらがな漢字《かんじ》
文《ぶん》の読《よ》み書《か》き
江戸《えど》の町《まち》や
街道《かいどう》の名前《なまえ》
草木《くさき》や
鳥《とり》の名前《なまえ》などを
少《すこ》しずつ
覚《おぼ》えてきました
「ぐう――」

「八《はち》、八《はち》、
早《はや》く起《お》きて
朝《あさ》ごはん食《た》べないと
寺子屋《てらこや》に遅《おく》れるよ」
「は～～～い
むにゃむにゃ
あれ、
お父《と》っあんは？」
「ほら　この間《あいだ》
深川《ふかがわ》の方《ほう》で
火事《かじ》があったろう」
「うん」

「それで その
建《た》て直《なお》しの仕事《しごと》で
もう出《で》かけたよ」
「へえー」

「あーあー
ねむいなあ
あれっ！
河童《かっぱ》だ、ひえー！
河童《かっぱ》がしばられてる
どうしたんだろう？
気《き》持《もち》ち悪《わる》いなあ」

「ギョギョエ〜
坊《ぼっ》ちゃん
助《たす》けて〜
ギョギョエ〜」

「実《じっ》は
イタチ連中《れんちゅう》と
この川《かわ》の魚《さかな》を
獲《と》った獲《と》らなかったで
喧嘩《けんか》になりまして
そしたら
イタチのやつらが
いきなり
イタチの最後《さいご》っ屁《ぺ》を
ふきかけて
きたんです

その臭《くさ》いのなんのって
くらくら目《め》眩《まい》がして
気《き》がついたら
こうして
柳《やなぎ》の木《き》にしばられて
しまったっていう
わけなんです
もう頭《あたま》の皿《さら》が
乾《かわ》いてきて
死《し》にそうなんです
ギョギョエ〜〜〜〜」

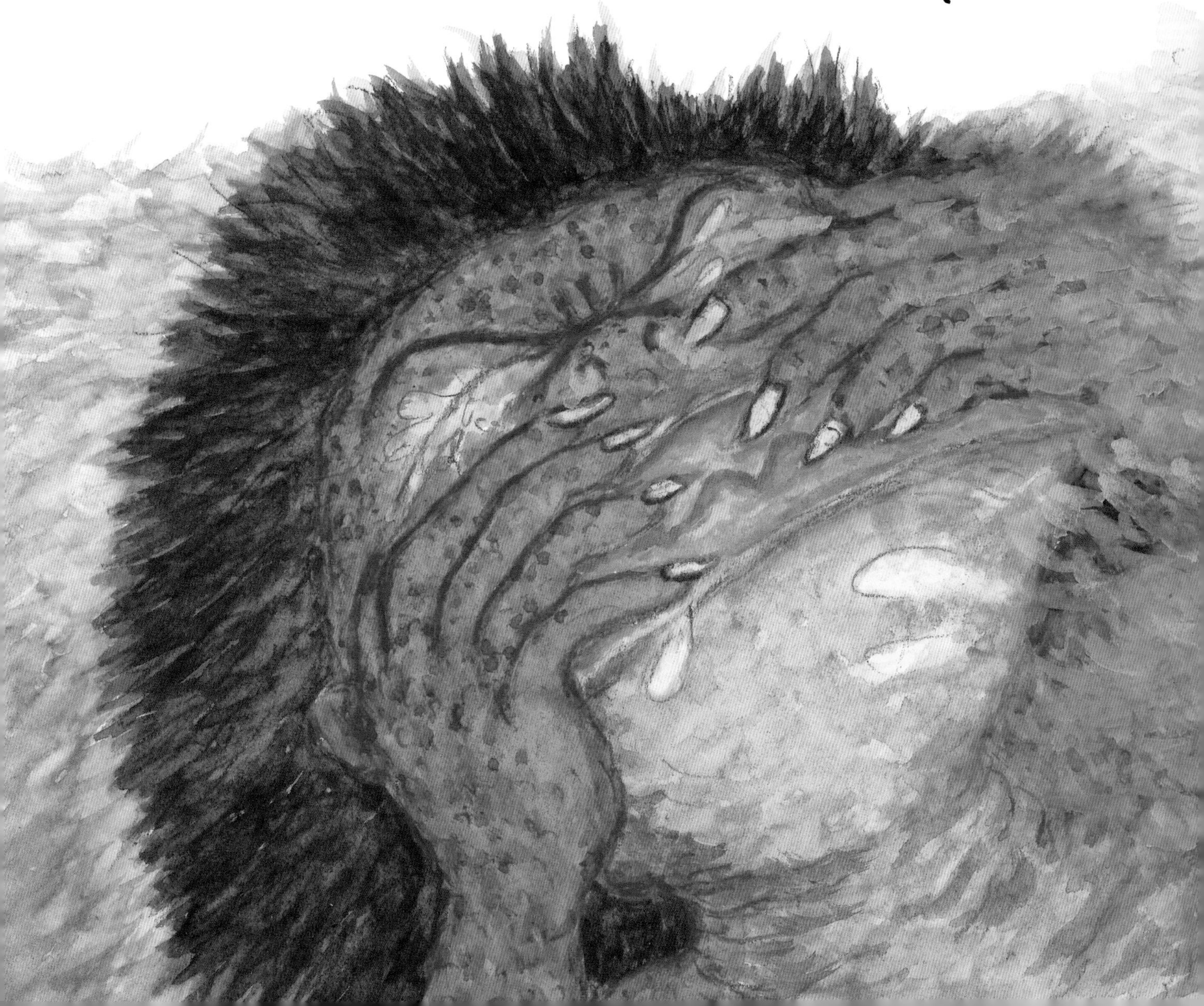

「これ、八助《はちすけ》
遅《ち》刻《こく》はいかんぞ
遅《ち》刻《こく》は」
「はい お師匠《ししょう》さま
実《じつ》は 来《く》る途中《とちゅう》で
しばられた
河童《かっぱ》に会《あ》ってね
助《たす》けてあげてね
それで あのー
遅《ち》刻《こく》しちゃったって
訳《わけ》なんです」

「何《なに》っ、河童《かっぱ》とな！」

「はい、河童《かっぱ》です」

「ふーむ　河童《かっぱ》か」

「お師匠《ししょう》さまも河童《かっぱ》に会《あ》った事《こと》があるんですか？」

「いや
会《あ》った事《こと》はないが
八助《はちすけ》、わしは
そなたより
もっとすごいのに
会《あ》った事《こと》があるぞ」
「へえ、それは何《なん》です？」
「天狗《てんぐ》に会《あ》った」
「ええっ？
天狗《てんぐ》！」

「そうじゃ
真《ま》っ赤《か》な鼻《はな》が
こう、ぐうーっと
長《なが》くてな
背《せ》中《なか》に大《おお》きな
羽《はね》が生《は》えておってな
こう、
ぐうぁーーっと
来《き》た！」
「うわあっ！」
「あーっははは」

「おほん、今日《きょう》はこれじゃ　これは『大日《だい》本《にっぽん》沿海《えんかい》輿地《よち》全図《ぜんず》』というものでな、まだこの世《よ》の中《なか》に知《し》られていない貴重《きちょう》なものじゃがこの度《たび》わしが特別《とくべつ》に許《ゆる》しを頂《いただ》き写《うつ》してまいったのじゃ　さ、皆《みんな》これがわたしたちの国《くに》日本《にっぽん》じゃ」

「へえーっ！」

大日本沿海輿地全図
蝦夷地
出羽
陸奥
佐渡

これを作《つく》られたのは
上総国《かずさのくに》（今《いま》の千葉県《ちばけん》）の
生《う》まれの
伊能忠敬《いのうただたか》という
お方《かた》じゃ
幕府《ばくふ》のお役人《やくにん》で
寛政十二年《かんせいじゅうにねん》から
文化十三年《ぶんかじゅうさんねん》まで
およそ十七年《じゅうしちねん》かけて
この日本《にっぽん》の海沿《うみぞ》いを
測量器《そくりょうき》や鎖縄《くさりなわ》を
使《つか》って歩《ある》きに
歩《ある》いて

見事《みごと》にこの全図《ぜんず》を
完成《かんせい》させた！
これを見《み》ると
この日本《にっぽん》は
海《うみ》に囲《かこ》まれた
大《おお》きな島《しま》ていう
のが
よくわかるな」
「わあーーっ！
おいらたちの国《くに》は
こんな形《かたち》を
しているのかあ！」

「皆《みな》も大《おお》きくなったら
あちこち旅《たび》をして
その土《と》地《ち》や国《くに》を知《し》り
人《ひと》を知《し》り
学《まな》んでいきなさい」
「はーい」

「あの、清水《しみず》さま」
「和尚《おしょう》、何《なに》かな？」
「はい、あの清河八郎《きよかわはちろう》さま
というお方《かた》のお使《つか》いの方《かた》が
見《み》えられましてな

玄《げん》関《かん》先《さき》でお待《ま》ちに
なっておられますが」
「ほう、清河《きよかわ》さんの？
わかりました
すぐに参《まい》ります
皆《みな》　ちょっと
自《じ》習《しゅう》をしていなさい
この全《ぜん》図《ず》を
よく見《み》て
日本《にっぽん》の各地《かくち》を
よく覚《おぼ》えるようにな」
「はーーい」

「お父《と》っつぁん
おっ母《か》さん
ほらこれ見《み》て
これがおいらたちが
住《す》んでいる国《くに》
日本《にっぽん》の形《かたち》なんだって
これ
『大《だい》日本《にっぽん》沿海《えんかい》輿《よ》地《ち》全《ぜん》図《ず》』って
いうんだって」
「へえーっ、八《はち》これ おめえが
写《うつ》したのか！うめえもんだな！
ま、なにしろ この江戸《えど》だけでも
大変《てえへん》だってのによ
こんなにあちこち
広《ひろ》い日本《にっぽん》じゃあ

こりゃあ
益々《ますます》大《てえ》変《へん》だぜ
なあおう！」
「ほんとだねえ
こういうのを教《おし》えて
くれるんだから
やっぱり寺子屋《てらこや》の
お師匠《ししょう》さまは
ありがたいねえ」

その夜《よる》
八助《はちすけ》は
お師匠《ししょう》さまと
日本全国《にっぽんぜんこく》を旅《たび》をする
夢《ゆめ》を見《み》ました
途中《とちゅう》で背中《せなか》に
大《おお》きな羽《はね》が生《は》えて
天狗《てんぐ》のように
空《そら》を飛《と》んで
ワクワクした
夢《ゆめ》でした

そして
その夢《ゆめ》を
また 絵日記《えにっき》に
書《か》きました

その頃《ころ》
師《し》匠《しょう》の
清《し》水《みず》文《ふみ》晴《はる》五郎《ごろう》佐《ざ》衛《え》門《もん》は
深《ふか》く考《かんが》えに
沈《しず》んでいました

「おはようございます」
「おはようございます」
「はいはい
おはよう
今日《きょう》も皆《みな》元気《げんき》で
よいのう」
「あれっ
お師匠《ししょう》さまは？」
「ああ、あのな
あのー清水《しみず》さまは
急《きゅう》な用事《ようじ》で
京都《きょうと》へ行《い》かれる
事《こと》になってのう

うー
今《いま》の京都《きょうと》は
戦《いくさ》が始《はじ》まりそうで
ぶっそうな事《こと》に
なっておってな
ちょっと
心配《しんぱい》なのじゃが」
「えーーっ!」

「あっお師匠《ししょう》さま！
京都《きょうと》へなんか
行《い》かないでおくれよ
戦《いくさ》に行《い》ったら
死《し》んじゃうよ
やめておくれよ
このお寺《てら》に
いておくれよ！」
「おおっ
八助《はちすけ》、皆《みな》も
ありがとう
今《いま》の日本《にっぽん》は

新《あたら》しい時代《じだい》が
動《うご》き出《だ》そうと
しておるのじゃ
わしも武士《ぶし》として
その動《うご》きの中《なか》に
身《み》を置《お》き
働《はたら》いてみるつもりじゃ
ナニ、死《し》にはせん
必《かなら》ず戻《もど》って来《く》る
そうしたらまた
皆《みな》といろいろ
学《まな》んでいこうなし」

八助《はちすけ》は
昨日《きのう》見《み》た
全図《ぜんず》の中《なか》に
お師匠《ししょう》さまが
溶《と》けて消《き》えて
いってしまう
ような
気《き》がしました
「なんでいっ！
新《あたら》しい時代《じだい》の
日本《にっぽん》って
なんでいっ！

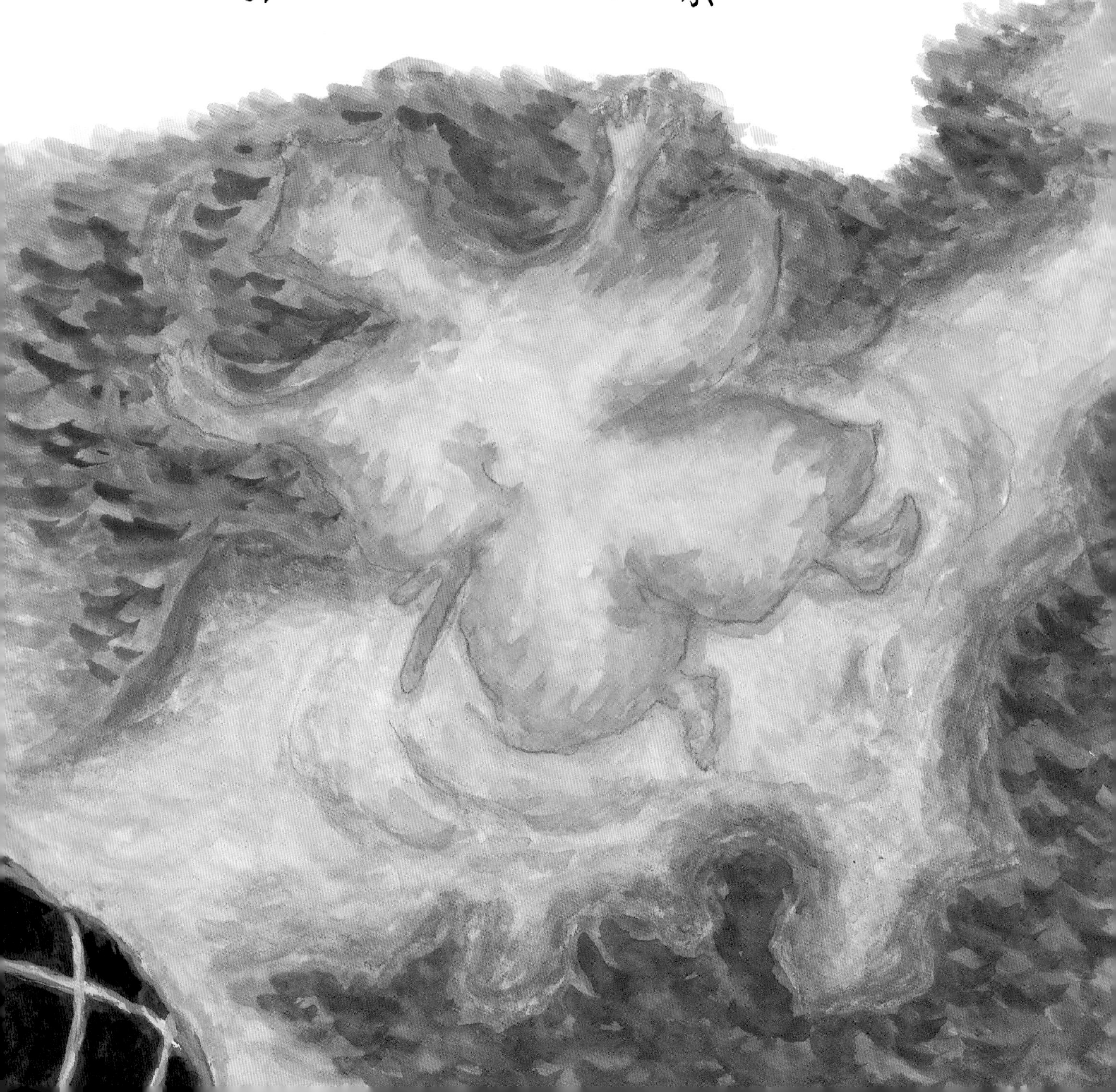

戦《いくさ》だなんて
なんでいっ
バカヤローッ!」
涙《なみだ》がポロポロ
流《なが》れて
きました

次《つぎ》の日《ひ》から
お師匠《ししょう》さまの代《か》わりに
お寺《てら》の
文《ぶん》海《かい》さんという
若《わか》いお坊《ぼう》さんが
新《あたら》しいお師匠《ししょう》さんに
なりました

「あー、皆《みな》、これからも
清《し》水《みず》さまの
教《おし》えを忘《わす》れずに
一《いっ》生《しょう》懸《けん》命《めい》
学《まな》んでいこうな」
「はーーーいっ」

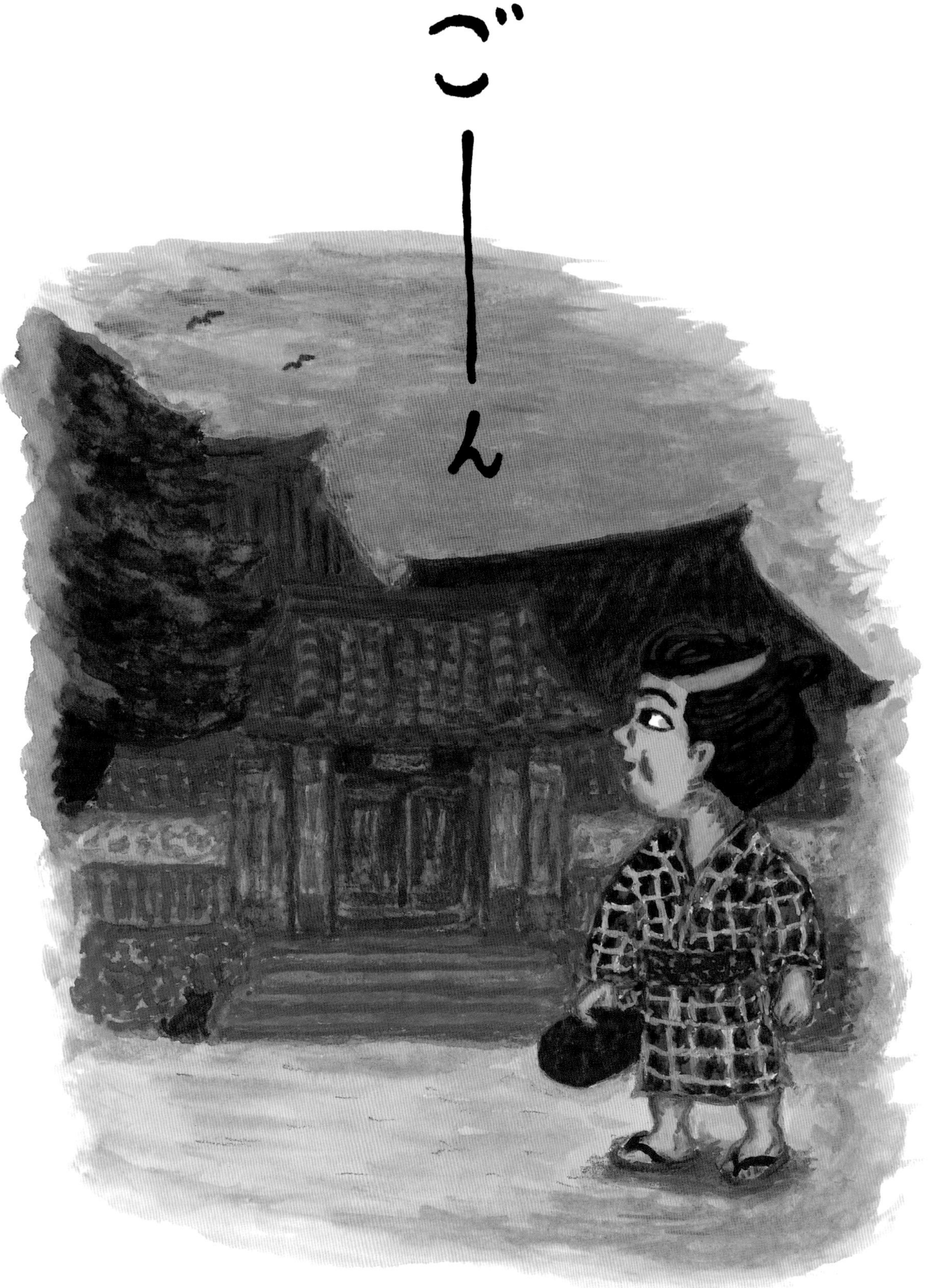
ごーん

## あとがき

さて、今回はイギリスの絵本作家バーニンガムの『いつも ちこくの おとこのこ』に
敬意を表しまして、八助のちこくから始まります。
ちこくの理由は、河童！　師匠は叱りながらもユーモアをこめてやり返します。
そういえば、私もよく先生に叱られたなあ（笑）。
そして、授業の方は伊能忠敬の「大日本沿海輿地全図」です！
史実では、まだ世間にお披露目されていないはずですが、
なぜ清水師匠は知っていたのか――。
清河八郎からじきじきに京都での浪士隊への誘いを受ける師匠。
そして京都へ行く道中、静岡鞠子宿である人物と出会うことに！
さあお話はどうなりますことやら。

飯野和好

学校がもっとすきになるシリーズ
八助の寺子屋日記　その二話

2023（令和5）年10月30日　初版第1刷発行

作　飯野和好
発行者　錦織圭之介
発行所　株式会社 東洋館出版社
〒101-0054
東京都千代田区神田錦町2丁目9番1号
コンフォール安田ビル2階
代表　電話 03-6778-4343 ／ FAX 03-5281-8091
営業部　電話 03-6778-7278 ／ FAX 03-5281-8092
URL　https://www.toyokan.co.jp
振替　00180-7-96823
装丁　小口翔平＋青山風音（tobufune）
印刷　精興社
製本　東京美術紙工協業組合


ISBN 978-4-491-05299-1　NDC913

【作者紹介】

**飯野和好**（いいのかずよし）

絵本作家・イラストレーター。神奈川県在住。

1947年埼玉県秩父に生まれる。生家の農家の様子は『むかでのいしゃむかえ』（福音館書店）に、子ども時代の体験は『ハのハの小天狗』（ほるぷ出版）に描かれている。雑誌「an・an」の「気むずかしやのピエロットのものがたり」でデビュー、数々の作品を発表しつづけている。「小さなスズナ姫」シリーズ（偕成社）で第11回赤い鳥さし絵賞、『ねぎぼうずのあさたろう その1』（福音館書店）で第49回小学館児童出版文化賞、『みずくみに』（小峰書店）で第20回日本絵本賞、『ぼくとお山と羊のセーター』（偕成社）で第70回産経児童出版文化賞タイヘイ賞を受賞。「ねぎぼうずのあさたろう」シリーズはテレビアニメ化され、第13回文化庁メディア芸術祭審査委員会推薦作となった。

近作には、自叙伝『人生はチャンバラ劇』（パイ インターナショナル）も。

絵本の読み語り講演で、全国を股旅姿で渡り歩いている。

【参考文献】
小林忠、中城正堯『江戸子ども百景』
（河出書房新社、2008）
渡辺一郎、鈴木純子『図説 伊能忠敬の地図をよむ 改訂増補版』
（河出書房新社、2010）

苗字尽《みょうじづくし》
（有名《ゆうめい》な人物《じんぶつ》の名《な》前《まえ》）

都路往来《みやこじおうらい》
（東海道《とうかいどう》五十三次《ごじゅうさんつぎ》や中山道《なかせんどう》など街道《かいどう》の説明《せつめい》）

庭訓往来《ていきんおうらい》
（行儀《ぎょうぎ》、礼儀《れいぎ》作法《さほう》の一般《いっぱん》常識《じょうしき》）